Monika Reimann

Grundstufen-Grammatik

für
Deutsch
als
Fremdsprache

Schlüssel

D1301052

Max Hueber Verlag

Das Werk und seine Teile sind urheberrechtlich geschützt.
Jede Verwertung in anderen als den gesetzlich zugelassenen Fällen bedarf deshalb der vorherigen schriftlichen Einwilligung des Verlags.

Hinweis zu § 52a UrhG: Weder das Werk noch seine Teile dürfen ohne eine solche Einwilligung überspielt, gespeichert und in ein Netzwerk eingespielt werden. Dies gilt auch für Intranets von Firmen und von Schulen und sonstigen Bildungseinrichtungen.

6. 5. 4.	Die letzten Ziffern
2009 08 07 06 05	bezeichnen Zahl und Jahr des Druckes.

Alle Drucke dieser Auflage können, da unverändert, nebeneinander benutzt werden.
3. Auflage 2000
© 1996 Max Hueber Verlag, 85737 Ismaning, Deutschland
Druck und Bindung: Ludwig Auer GmbH, Donauwörth
Printed in Germany
ISBN 3-19-011575-3

Inhaltsverzeichnis

1.1 Grundverben

Übung 1

1. hat
2. waren
3. wirst
4. wart
5. haben
6. ist
7. war
8. wurdet
9. sind
10. wurde
11. hattet
12. wird

Übung 2

1. ist
2. bist
3. bin, werde
4. hat
5. hast
6. werden
7. seid
8. ist
9. werde
10. Haben

Übung 3

1. war
2. warst, hatte
3. war, hatten
4. ist … geworden
5. wart, hatten
6. war, Hattet, wurde, wurde

Übung 4

1. will/wollte
2. muss/musste
3. sollt/solltet
4. will/wollte
5. möchten/wollten
6. darf/durfte
7. kannst/konntest
8. müssen/mussten
9. darf/durfte
10. können/konnten
11. muss/musste
12. sollst/solltest
13. will/wollte
14. möchte/wollte

Übung 5

1. Sie wollte heute nicht länger arbeiten.
2. Der Patient musste viel spazieren gehen.
3. Sie durfte gestern Abend nicht ins Kino gehen.
4. Er konnte den Bericht gestern nicht mehr beenden.
5. Sie wollten nicht mitkommen.
6. Wir mussten das noch schnell fertig machen.
7. Aber du solltest doch die Karten kaufen!
8. Er konnte mir nicht helfen.

Übung 6

1. musst
2. soll
3. muss
4. sollen
5. soll
6. muss
7. sollen, muss
8. müssen

Übung 7

1. darf
2. Kannst
3. darf
4. Darf
5. können
6. könnt
7. dürfen
8. kann

Übung 8
1. Hier darf man nicht rauchen.
2. Hier kann man telefonieren.
3. Hier darf man nicht überholen.
4. Hier muss man leise sein.
5. Hier darf man nicht parken.
6. Hier kann man Informationen bekommen.
7. Hier darf man nicht Motorrad fahren.
8. Hier kann/darf man parken.

Übung 9
1. möchten
2. konnte
3. sollen
4. wollten
5. Darf
6. musst

Übung 10
1. mussten
2. mussten, durften
3. konnten
4. mussten
5. durfte
6. mussten
7. durften
8. mussten

Übung 11
1. Musst, kannst, muss, können
2. Können, will/möchte
3. darfst, darf, muss
4. Kann/Darf, möchte
5. müssen, können
6. können, möchte

Übung 12
1. braucht
2. lasst
3. habe ... gelassen
4. brauchst
5. hat ... lassen
6. brauchen

Übung 13
1. brauchen
2. lassen
3. lässt
4. brauche
5. lassen
6. brauche

Übung 14
1. Nein, du kannst es nehmen.
2. Dann solltest du zum Tierarzt gehen und ihn untersuchen lassen.
3. Ach lass ihn doch seine Musik hören. Das stört uns gar nicht.
4. Nein, nein, das brauchen Sie heute nicht mehr zu tun. Sie können gern nach Hause gehen.
5. Sie will/möchte Rechtsanwältin werden und hofft, dass sie gleich einen Studienplatz bekommt.
6. Ja, ja, alles wird/ist teurer.
7. Ich habe schon alles programmiert. Sie brauchen ihn nur noch anzumachen.
8. Ja, ich werde auch langsam unruhig. Normalerweise ist sie immer pünktlich.
9. Morgen. Ich werde ihn wahrscheinlich am Flughafen abholen.
10. Ja gern, ich kann aber nicht segeln.

1.2 Tempora

Übung 1
1. geht
2. schreibt
3. telefoniert
4. reden
5. machst
6. fragt
7. spiele
8. liebst
9. studieren
10. schlafen

Übung 2
1. arbeitest
2. wartet
3. finde
4. fährst
5. weiß
6. bittet/bitten
7. grüßt
8. heiratet
9. heißt
10. Gibst

Übung 3
1. Was empfiehlst du mir?
2. Wohin fährst du?
3. Wem hilfst du gern?
4. Wie lange wartest du hier schon?
5. Warum vergisst du das immer wieder?
6. Warum antwortest du nicht?
7. Warum nimmst du mir die Zigaretten weg?
8. Weißt du den Namen?
9. Warum wirst du gleich so böse?
10. Welche Zeitung liest du da?
11. Bist du heute Abend zu Hause?
12. Wen lädst du sonst noch ein?

Übung 4

Waagrecht
1. ANTWORTEST
2. BIST
3. MAGST
4. TRINKEN
5. DENKE
6. TREFFEN

Senkrecht

7. WARTET
8. PASST
9. MACHT
10. ARBEITE
11. DARF
12. FINDEST

Übung 5
1. sind, sprechen/können, geht
2. ist, fährt, bringe/fahre, ist
3. heiße, heißt, kommst, bist/lebst
4. hilfst, weißt, weiß, fragst, sagt

Übung 6
1. ausgemacht
2. gewesen
3. gegessen
4. angekommen
5. geschrieben
6. gesagt
7. angerufen
8. empfohlen

Übung 7

1. ge___en: gelaufen, geschlossen, gesungen, geliehen
2. ge___t: geschenkt, gesagt, gesucht, geholt, gekauft, gehabt, gewohnt
3. ___en: vergessen, geschehen, verstanden, empfohlen, entschieden, gefallen
4. ___t: erzählt, bezahlt, probiert, studiert

Übung 8

1. bist, habe
2. haben, bin
3. Habt, hat, haben
4. bist, bin, bin, habe
5. Sind, haben
6. sind, haben

Übung 9

1. rennen
2. fließen
3. scheinen
4. hängen
5. treffen
6. raten
7. liegen
8. wissen
9. kennen
10. schneiden
11. wegnehmen
12. streiten
13. steigen
14. beginnen
15. abbrechen
16. gelingen
17. heben
18. schweigen
19. vergleichen
20. stehlen
21. wiegen
22. betrügen
23. fangen
24. überweisen
25. verzeihen

Übung 10

1. Ich habe lange geschlafen.
2. Ich habe gemütlich gefrühstückt.
3. Ich habe in Ruhe Zeitung gelesen.
4. Ich habe einen Brief geschrieben.
5. Ich habe einen Mittagsschlaf gemacht.
6. Ich bin spazieren gegangen.
7. Ich bin zum Abendessen mit Freunden ins Restaurant gegangen.
8. Ich habe einen Film im Fernsehen gesehen.

Übung 11

1. Haben Sie heute viel gearbeitet?
2. Sind Sie heute früh aufgestanden?
3. Sind Sie mit dem Auto gefahren?
4. Haben Sie etwas Schönes gemacht?
5. Haben Sie Zeitung gelesen?
6. Haben Sie Radio gehört?
7. Haben Sie jemandem geholfen?
8. Sind Sie spazieren gegangen?
9. Haben Sie Essen gekocht?
10. Sind Sie geschwommen?
11. Haben Sie eine Liebeserklärung gemacht?
12. Sind Sie Fahrrad gefahren?

Übung 12

1. hat ... beworben
2. hat ... begonnen
3. bin ... erschrocken
4. hat ... geheißen, getroffen habe
5. hat ... gelitten
6. hat ... gewonnen
7. hast ... gefunden
8. hast ... getrunken
9. bin/habe ... gesessen
10. ist ... gestorben
11. ist ... geworden
12. haben ... angerufen

Übung 13

1. machte
2. fragtest
3. stellte
4. liebte
5. arbeitete
6. wartetet
7. redeten
8. hofften
9. lachtest
10. regnete
11. zahlten
12. kauftet
13. holten
14. legten
15. reiste
16. hängte/hing
17. grüßtest
18. kochten

Übung 14

1. er bot *(m. V.)*
2. er antwortete *(o. V.)*
3. er blieb *(m. V.)*
4. er stellte *(o. V.)*
5. er stand *(m. V.)*
6. er hing/hängte *(m./o. V.)*
7. er machte *(o. V.)*
8. er wusste *(m. V.)*
9. er nannte *(m. V.)*
10. er zählte *(o. V.)*
11. er erschrak/erschreckte *(m./o. V.)*
12. er hob *(m. V.)*

Übung 15

1. fing an
2. brachte
3. verband
4. zog sich um
5. fraß
6. hielt
7. lud … ein
8. lief
9. kam
10. schrie
11. trieb
12. verzieh

Übung 16

1. stehlen
2. vergleichen
3. riechen
4. senden
5. zwingen
6. werfen
7. betrügen
8. nehmen
9. schweigen
10. frieren

Übung 17

1. kam … an
2. suchte
3. kannte, ging
4. empfahl
5. nahm, fuhr
6. packte … aus, duschte
7. ging, aß, hatte
8. war, ging

Übung 18

1. Weil ich meinen Pass vergessen hatte.
2. Weil ich den Schlüssel nicht mitgenommen hatte.
3. Weil meine Eltern es verboten hatten.
4. Weil der Chef mich darum gebeten hatte.
5. Weil die Geschäfte schon geschlossen hatten.
6. Weil ich plötzlich müde geworden war.

Übung 19

1. hatten … gegessen
2. war … abgefahren
3. hatte … gespült
4. hatte … eingeladen
5. hatte … aufgehört, war … geworden
6. waren … heimgegangen
7. hatte … beendet
8. vergessen hatte

Übung 20

1. Fährst du immer mit dem Bus ins Büro? – Normalerweise ja, aber heute bin ich mit dem Auto gefahren.
2. Stehst du immer um 7.00 Uhr auf? – Normalerweise ja, aber heute bin ich um 8.30 Uhr aufgestanden.

3. Fängst du immer um 8.30 Uhr mit der Arbeit an? – Normalerweise ja, aber heute habe ich um 10.00 Uhr angefangen.
4. Isst du immer mittags in der Kantine? – Normalerweise ja, aber heute habe ich ein Sandwich im Büro gegessen.
5. Fährst du immer um 17.00 Uhr nach Hause? – Normalerweise ja, aber heute bin ich um 19.00 Uhr gefahren.
6. Kaufst du immer auf dem Rückweg vom Büro ein? – Normalerweise ja, aber heute bin ich direkt nach Hause gefahren.
7. Triffst du immer abends Freunde? – Normalerweise ja, aber heute bin ich allein zu Hause geblieben.
8. Gehst du immer um 23.00 Uhr ins Bett? – Normalerweise ja, aber heute bin ich um 22.00 Uhr ins Bett gegangen.

Übung 21

Zeilen 1–10:
war, wusch, zog … an, ging … spazieren, war, traf, grüßte, war, antwortete, sagte, machst, gehe spazieren, sagte, lachte, ärgerte, sagte, Glaubst

Zeilen 11–21:
kannst, antwortete, schlug … vor, ist, rief, können, bekommt, fangen … an, sagte, muss, bin, ankam, rief, sagte, habe … gewettet, kann

Zeilen 22–30:
bist, sagte, machen, läuft, laufe, fangen … an, ankommt, rufst, bin, ging, Fangen … an, zählte

Zeilen 31–42:
rannte, machte, blieb, ankam, rief, bin, war, rief, rannte, ankam, rief, bin, schrie, rannte, lief, hörte, bin, blieb, nahm, rief, gingen, gestorben sind, leben

Übung 22

1. geschlafen habe
2. gesehen hatte
3. war … abgefahren
4. habe … gegessen
5. Haben … abgeschickt
6. hatten … vorbereitet

Übung 23

1. Was machst du am Wochenende?
2. Gehst du heute Abend mit mir ins Kino?
3. Wie lange machst du im Sommer Urlaub?
4. Wann besuchen Sie mich?
5. Gehen wir morgen spazieren?
6. Gehen wir am Sonntag schwimmen?
7. Fliegen Sie nächstes Jahr wieder in die USA?
8. Gehen wir nach der Arbeit noch ins Café?

1.4 Trennbare und untrennbare Verben

Übung 1

trennbar: er schaut ... zurück, er geht ... weg, er arbeitet ... mit, er fällt ... aus, er stellt ... vor, er läuft ... weg, er gibt ... zurück, er fliegt ... ab, er schließt ... ein

untrennbar: er erlaubt, er bezahlt, er bestellt, er misstraut, er entwickelt, er versucht, er vergleicht, es gelingt

Übung 2

1. Sie zieht das Baby an.
2. Sie bereitet das Frühstück vor.
3. Sie räumt den Tisch ab.
4. Sie spült und trocknet das Geschirr ab.
5. Sie kauft Lebensmittel ein.
6. Sie hängt die Wäsche auf.
7. Sie holt die Tochter vom Kindergarten ab.
8. Sie räumt die Wohnung auf.

Übung 3

1. Sie hat das Baby angezogen.
2. Sie hat das Frühstück vorbereitet.
3. Sie hat den Tisch abgeräumt.
4. Sie hat das Geschirr gespült und abgetrocknet.
5. Sie hat Lebensmittel eingekauft.
6. Sie hat die Wäsche aufgehängt.
7. Sie hat die Tochter vom Kindergarten abgeholt.
8. Sie hat die Wohnung aufgeräumt.

Übung 4
freie Übung

Übung 5
freie Übung

Übung 6

1. Er hat die Haustür nicht abgeschlossen.
2. Der Arzt hat mir das Rauchen verboten.
3. Wann bist du heute aufgestanden?
4. Habt ihr die unregelmäßigen Verben wiederholt?
5. Sie hat ihr ganzes Geld im Schlafzimmer versteckt.
6. Warum hast du dich noch nicht umgezogen?
7. Nach zwei Stunden hat der Direktor die Diskussion beendet.
8. Meine kleine Tochter hat leider dieses schöne Glas zerbrochen.
9. Papa hat noch nicht angerufen.
10. Wann hat der Film angefangen?

Übung 7

1. Drehen Sie das Steak nach drei Minuten um.
2. Er versteht keinen Spaß.
3. Bitte beginnen Sie doch schon mit dem Essen.
4. Wer von euch räumt mit mir nachher die Wohnung auf?
5. Bestell dir doch eine Pizza beim Pizza-Service.
6. Warum rufst du sie nicht an?
7. Er erzählt immer so lustige Geschichten.
8. Sie entscheidet sich immer erst in letzter Minute.

1.5 Reflexive Verben

Übung 1
1. mich
2. sich
3. mich
4. uns
5. euch
6. sich
7. dich
8. sich
9. uns
10. mich
11. dich
12. euch

Übung 2
1. mir
2. dir
3. mir
4. dir
5. uns
6. euch
7. dir
8. mir

Übung 3
1. dir
2. mir
3. dich, mir
4. mir, dir
5. mich, sich
6. sich

1.6 Infinitiv

Übung 1

1. –
2. zu
3. zu
4. –
5. –
6. –
7. zu
8. –
9. –
10. zu
11. –
12. –
13. zu
14. –

Übung 2

1. Ich nehme mir vor, pünktlich zu kommen.
2. Wir haben nächste Woche Zeit, unsere Freunde zu besuchen.
3. Er will nicht mitkommen.
4. Wir hoffen, ihn noch dazu zu überreden.
5. Leider hat er fast nie Lust zu reisen.
6. Er würde am liebsten immer zu Hause bleiben.
7. Aber wir gehen gern in Paris Kleidung einkaufen.
8. Ich höre das Baby weinen.

Übung 3

freie Übung

1.7 Imperativ

Übung 1
1. Lies/Lest den Text vor!
2. Sei/Seid leise!
3. Mach/Macht das Fenster zu!
4. Schreib/Schreibt die Regel auf!
5. Sprich/Sprecht lauter!
6. Schlag/Schlagt das Buch auf!
7. Sieh/Seht im Wörterbuch nach!
8. Komm/Kommt an die Tafel!

Übung 2
1. Komm
2. Habt
3. Seid
4. Sprich
5. Öffnet
6. Gib
7. Sei
8. Vergesst
9. Nimm
10. Antworte

Übung 3
1. Mach … zu
2. Pass … auf
3. Schlaf … ein
4. Fang … an
5. Trockne … ab
6. Komm … mit
7. Räum … auf
8. Lad … ein
9. Hol … ab
10. Nimm … mit

Übung 4
1. Beeilt euch
2. Erkundigen Sie sich
3. Entscheide dich
4. Freut euch
5. Bemühen Sie sich
6. Beklag dich

Übung 5
1. Lass deine/Lasst eure Probleme zu Hause!
2. Lieg/Liegt nie lange ohne Sonnenschutz in der Sonne!
3. Nimm/Nehmt nicht viel Geld mit an den Strand!
4. Vergiss deine/Vergesst eure Arbeit!
5. Schlaf/Schlaft viel!
6. Erhol dich/Erholt euch gut!

1.8 Passiv

Übung 1
1. wird
2. wurden
3. bin … worden
4. wird
5. werdet
6. wurde
7. werde
8. wurde
9. ist … worden

Übung 2
1. Die Natur wird geschädigt.
2. Die Flüsse werden durch Chemikalien vergiftet.
3. Die Landschaft wird mit Häusern vollgebaut.
4. Es wird zuviel Müll produziert.
5. Die Wälder werden zerstört.
6. Die Rohstoffe werden verschwendet.

Übung 3
1. Die Natur soll nicht noch mehr geschädigt werden.
2. Die Flüssen sollen nicht noch mehr durch Chemikalien vergiftet werden.
3. Die Landschaft soll nicht noch mehr mit Häusern vollgebaut werden.
4. Es soll nicht noch mehr Müll produziert werden.
5. Die Wälder sollen nicht noch mehr zerstört werden.
6. Die Rohstoffe sollen nicht noch mehr verschwendet werden.

Übung 4
1. Meine Wohnung musste aufgeräumt werden.
2. Die Fehler mussten korrigiert werden.
3. Die Rechnung musste bezahlt werden.
4. Meine Großeltern mussten abgeholt werden.
5. Der Fahrradfahrer musste ins Krankenhaus gebracht werden.
6. Mein Fernsehapparat musste repariert werden.
7. Die Papiere mussten geordnet werden.
8. Das ganze Geschirr musste gespült werden.

Übung 5
war … verletzt worden, eingeliefert werden musste, wurde … untersucht, [wurde] festgestellt, operiert werden muss, behandelt worden war, konnte … entlassen werden, wurde … versorgt

Übung 6
1. Die Baustelle darf nicht betreten werden.
2. Hier darf nicht fotografiert werden.
3. Hier darf nicht gebadet werden.
4. Hier muss der Motor abgestellt werden.
5. Hier muss gestoppt/angehalten werden.
6. Hier darf geraucht werden.

Übung 7
1. ... die Baustelle nicht betreten werden darf.
2. ... hier nicht fotografiert werden darf.
3. ... hier nicht gebadet werden darf.
4. ... hier der Motor abgestellt werden muss.
5. ... hier gestoppt/angehalten werden muss.
6. ... hier geraucht werden darf.

Übung 8
1. ... in Bayern so viel Schweinefleisch gegessen wird.
2. ... den Kindern Kriegsspielzeug geschenkt wird.
3. ... die militärische Aufrüstung nicht beendet werden kann.
4. ... die Kinder nicht zu mehr Toleranz erzogen werden.
5. ... die Rechte der Minderheiten nicht geachtet werden.
6. ... bei Smog das Auto nicht zu Hause gelassen werden muss.

Übung 9
1. von
2. Durch
3. von
4. durch
5. von
6. durch

Übung 10
1. Bei einem Unfall auf der Autobahn sind 8 Menschen schwer verletzt worden.
2. Bei einem Sturm sind 4 Autos von umgefallenen Bäumen beschädigt worden.
3. Ein Ferrari ist nachts im Zentrum gestohlen worden.
4. Das neue Schwimmbad ist vom Bürgermeister eröffnet worden.
5. Die Bank in der Kantstraße ist überfallen worden.
6. Das entführte Kind ist gefunden worden.

1.9 Konjunktiv II

Übung 1

1. hattest, hättest
2. konnte, könnte
3. musstet, müsstet
4. sollten, sollten *(!)*
5. wurde, würde
6. durften, dürften
7. wollte, wollte *(!)*
8. waren, wären
9. mochte, möchte
10. ging, ginge
11. ließ, ließe
12. gab, gäbe
13. brauchtest, bräuchtest
14. wussten, wüssten
15. kam, käme

Übung 2

1. ... wenn er sich mehr Zeit nehmen würde.
2. ... wenn sie mehr Geduld hätten.
3. ... wenn du mich in Ruhe ließest/lassen würdest.
4. ... wenn er mit mir mehr Abende verbringen würde.
5. ... wenn ich nicht so viel arbeiten müsste.
6. ... wenn du abends früher nach Hause kämest/kommen würdest.
7. ... wenn wir häufiger ins Theater gingen/gehen würden.
8. ... wenn ihr noch etwas länger bleiben würdet.

Übung 3

1. gekommen wäre
2. hätte ... getan
3. wären ... mitgekommen
4. hätte(n) ... besucht
5. hättet ... gefunden
6. wären ... geflogen
7. wäre ... spazieren gegangen
8. hätte ... erzählt

Übung 4

Sehr geehrte Frau Müller,

wie geht es Ihnen? Wie ist denn Ihre neue Arbeitsstelle? Haben Sie nette Kollegen?

Ich hätte eine große Bitte. Sie wissen doch, ich bin im Juli und August in Berlin. Ich möchte dort einen Sprachkurs besuchen. Leider weiß ich noch nicht, an welcher Schule, und ich habe noch keine Wohnmöglichkeit. Würden Sie mir helfen?

Vielleicht könnten Sie mal Ihre Freunde und Bekannten fragen, ob jemand in dieser Zeit ein Zimmer vermietet. Und würden Sie bitte an einigen Sprachschulen in Berlin nach den Preisen und Kursdaten fragen? Könnten Sie mir vielleicht vorher einige Prospekte schicken? Dann könnte ich mich nämlich rechtzeitig an einer Schule anmelden.

Dürfte ich Sie zum Schluss noch um einen anderen Gefallen bitten? Sie wissen ja, ich war noch nie in Berlin und komme mit viel Gepäck. Würden Sie mich bitte am Flughafen abholen? Dafür koche ich für Sie in Berlin ein typisch brasilianisches Essen.

Vielen Dank für Ihre Hilfe. Ich freue mich auf unser Wiedersehen in Deutschland.

Viele Grüße

Übung 5

1. Würdest/Könntest du mir bitte Feuer geben?
2. Dürfte ich mir Ihren Bleistift leihen?
3. Würden/Könnten Sie bitte einen Moment meinen Mantel halten?
4. Würden/Könnten Sie mir sagen, wie ich zum Bahnhof komme?
5. Könnte ich Sie schnell etwas fragen?
6. Würden/Könnten Sie mir ein Glas Wasser geben?
7. Würdest/Könntest du bitte das Fenster zumachen?
8. Dürfte ich Sie bitten, das Radio leiser zu stellen?

Übung 6

1. e
2. d
3. f
4. a
5. b
6. c

Übung 7

1. Ich wäre froh, wenn ich so gut Deutsch sprechen könnte wie du.
2. Ich wäre froh, wenn ich eine so große Wohnung hätte wie ihr.
3. Ich wäre froh, wenn ich Goethe auf Deutsch lesen könnte.
4. Ich wäre froh, wenn ich jedes Jahr drei Monate Urlaub machen könnte.
5. Ich wäre froh, wenn ich länger bleiben dürfte.
6. Ich wäre froh, wenn ich zu Fuß zur Arbeit gehen könnte.
7. Ich wäre froh, wenn ich nicht jeden Tag mit dem Auto fahren müsste.
8. Ich wäre froh, wenn ich so viel Geduld hätte wie Sie.

Übung 8

wäre, könnte ... schlafen, würde ... spielen, bräuchte, hätte, würde ... fahren, müsste, hätte, dürfte, wäre, dürfte, müsste, wäre

Übung 9

freie Übung

Übung 10

freie Übung

Übung 11

1. ... aber er wäre gern Rennfahrer.
2. ... aber er würde gern mehr verdienen.
3. ... aber er würde gern in Hamburg wohnen.
4. ... aber er würde gern lange schlafen.
5. ... aber er hätte gern einen Ferrari.
6. ... aber er würde gern in einer großen Firma arbeiten.

Übung 12

freie Übung

Übung 13

1. Wäre ich doch mit der U-Bahn gefahren!/Wenn ich doch mit der U-Bahn gefahren wäre!
2. Hätte ich doch nie geheiratet!/ Wenn ich doch nie geheiratet hätte!
3. Hätte ich doch ein besseres Hotel gebucht!/Wenn ich doch ein besseres Hotel gebucht hätte!
4. Hätte ich mich doch wärmer angezogen!/Wenn ich mich doch wärmer angezogen hätte!
5. Wäre ich doch früher aufgestanden!/Wenn ich doch früher aufgestanden wäre!
6. Hätte ich doch einen Regenschirm mitgenommen!/Wenn ich doch einen Regenschirm mitgenommen hätte!

Übung 14

Vorschläge:

1. Du müsstest mal zu einem besseren Frisör gehen.
2. Vielleicht solltest du ein bisschen Schmuck tragen.
3. Du könntest doch mal einen Minirock anziehen.
4. An deiner Stelle würde ich lebendigere Farben tragen.
5. Außerdem solltest du modischere Schuhe anziehen.
6. Du könntest doch auch ein bisschen Make-up benutzen.

Übung 15

freie Übung

Übung 16

freie Übung

Übung 17

1. Aber er tut so, als ob er viel Geld hätte.
2. Aber er tut so, als ob er kochen könnte.
3. Aber er tut so, als ob er mutig/nicht ängstlich wäre.
4. Aber er tut so, als ob er besonders/sehr intelligent wäre.
5. Aber er tut so, als ob er (sehr/immer) höflich wäre.
6. Aber er tut so, als ob er viele Freunde hätte.

Übung 18

1. ... als ob es bald regnen würde.
2. ... als ob du die ganze Nacht nicht geschlafen hättest.
3. ... als ob wir die Grammatik wiederholen müssten.
4. ... als ob sie abgenommen hätte.
5. ... als ob sie krank wäre.
6. ... als ob du müde wärest.

Übung 19

1. Würden
2. Hätten, würde
3. wäre, würden
4. wäre
5. hätte, Würden
6. hättest, hätte
7. wäre
8. Würdet

Übung 20

1. hätte
2. würde
3. hast
4. Hätte
5. hätten/hätte
6. wäre, würden
7. wäre, hätte
8. ist
9. würdest, wärest
10. hätte

Übung 21

1. d
2. e
3. g
4. f
5. c
6. h
7. a
8. b

1.11 Verben mit Präpositionen

Übung 1
1. d
2. a
3. e
4. b
5. f
6. c

Übung 2
1. Ich habe gestern einen Brief an meine Eltern geschrieben.
2. Anna hat an einem Skikurs teilgenommen.
3. Sie sorgt sehr gut für ihre Kinder.
4. Ich verstehe leider nichts von Physik.
5. Er ist noch finanziell abhängig von seinen Eltern.
6. Er hat sich sehr über seine Arbeit aufgeregt.

Übung 3
1. mit dem
2. auf
3. zum
4. über
5. von
6. an die

Übung 4
1. nach
2. dazu
3. an
4. mit
5. darauf
6. an
7. für
8. Wovon
9. daran
10. aus

Übung 5
1. um
2. auf
3. um
4. gegen
5. vor *(gegen + Akk. = gegen eine Erkältung)*
6. an
7. mit
8. bei, für

Übung 6
1. Mit Sport und Lesen.
2. Über …
3. Mit …
4. An …
5. Von …
6. Über …
7. Über …
8. Mit …

Übung 7
1. über *(= Gegenwart/Vergangenheit)*, auf *(= Zukunft)*
2. bei *(= Person)*, für *(= Sache)*
3. an *(= Krankheit)*, unter *(= alles andere)*
4. über *(= Thema)*, um *(= Sache)*
5. mit *(= Person)*, über *(= Thema)*
6. über *(= Meinung)*, an *(= Person)*

Übung 8
1. Über wen/Worüber
2. Auf
3. Wonach
4. Worüber/Worum
5. An wen
6. Mit wem
7. Worauf
8. Worüber
9. Wovon
10. Wofür
11. Wofür
12. Wovon

Übung 9
1. um, darauf/auf sie, auf, zu
2. über, mit, über, davon
3. Worüber, an, in, an
4. Worauf, Auf, Darauf
5. Wovon, an, dazu, unter
6. daran, bei, für, Dafür, darüber, auf, darüber

Übung 10
an, an, Dafür, bei, bei, darum, um, für, mit, zum, mit, an, darüber, darüber, davon, an

Übung 11
1. Worüber, darüber
2. Worüber, darüber
3. Worüber, darüber
4. Worüber, darüber
5. Wofür, dafür
6. Worüber, darüber

Übung 12
1. Worauf freust du dich denn so?
2. An wen schreibst du?
3. Worüber diskutiert ihr?
4. Woran kannst du dich nicht gewöhnen?
5. Worüber denkst du nach?
6. Wofür entschuldigst du dich?
7. An wen denkst du?
8. Wovon hast du geträumt?
9. Auf wen kannst du dich verlassen?
10. Worauf wartest du?

Übung 13
1. daran, über
2. bei, deinem neuen, danach, an welchem
3. auf meine
4. darauf, um unsere neuen
5. daran, nach
6. vom
7. mit deinem, über deine
8. auf die
9. darüber, in einen anderen
10. von Ihrem letzten

Übung 14
1. HAETTEST
2. BRAUCHEN
3. KONNTE
4. MIR
5. AUF
6. WARST
7. MACHEN
8. LASS
9. AN
10. NACH

Lösungswort: THOMAS MANN

2.1 Deklination

Übung 1

der: Elefant, Nachmittag, Cognac, Freund, Busfahrer, Morgen, Norden, Bauer, Februar, Frühling, Freitag, Wein, Schnee
die: Frau, Chefin, Schülerin, Asiatin, Münchnerin, Lehrerin, Schrift, Rose, Mutter

Übung 2

die Stunde, der Koffer, die Bäckerei, die Einsamkeit, der Terror, der Reaktor, das Zentrum, der Kommunismus, die Schwierigkeit, das Argument, die Situation, die Religion, das Dokument, der Direktor, das Mädchen, die Dose, die Bücherei, die Mehrheit, der Fremdling, die Achtung, die Gesellschaft, das Tischlein, die Figur, das Monument

Übung 3

die Gartenbank, die Kaffeetasse, das Telefonbuch, die Einbahnstraße, der Regenschirm, die Brieftasche, das Kinderbett, die Autowerkstatt, die Jugendliebe

Übung 4

der: Baum, Mann, Nordpol, Liter, Regen, Name, Ehering, Garten
die: Frau, Uhr, Ruhe, Einsamkeit, Traube, Eigenschaft
das: Kind, Dorf, Fest, Theater, Ringlein, Nest, Tor, Rad

Übung 5

1. der Sozialismus
2. die Natur
3. das Bier
4. die Schönheit
5. der Abend
6. die Wissenschaft

Übung 6

1. der
2. die
3. der
4. das
5. der
6. der
7. die
8. die

Übung 7

freie Übung

Übung 8

1. die Häuser
2. die Ergebnisse
3. die Studentinnen
4. die Ausdrücke
5. die Lehrer
6. die Firmen
7. die Schlösser
8. die Anfänge
9. die Türen
10. die Gymnasien
11. die Situationen
12. die Äste

Übung 9
1. Positionen
2. Mäuse
3. Freunde
4. Veränderungen
5. Berge
6. Fotos
7. Direktorinnen
8. Priester
9. Bäume
10. Rahmen
11. Sofas
12. Physiker
13. Blumen
14. Mädchen

Übung 10
1. Kindern
2. Flaschen
3. Studenten, Studentinnen
4. Plätze
5. Prüfungen
6. Flugzeugen
7. Dörfern
8. Autos
9. Menschen
10. Sekretärinnen

Übung 11
freie Übung

Übung 12
Damen, Herren, Kundinnen, Kunden, Sonderangebote
Damen, Röcke, Blusen, Jacken, Schuhe
Herren, Krawatten, Seidenhemden, Ledergürtel, Pullover
Kleinen, Hosen, T-Shirts, Badeanzüge, Sommerhüte

Übung 13
1. -en
2. –
3. -en
4. –
5. -n
6. -n

Übung 14
1. –
2. -innen
3. -s
4. –
5. -n
6. –

Übung 15
Beethovens Symphonien habe ich alle auf CD.
Marias Mann arbeitet bei Siemens.
Dr. Müllers Büro ist im 2. Stock.
Deutschlands bester Pianist heißt …
Thomas' Motorrad war teuer.
Mozarts Geburtshaus steht in Salzburg.
Frankreichs Hauptstadt ist Paris.
Angelas Freundin ist sehr hübsch.

Übung 16
1. -n
2. –
3. -en
4. -en
5. –
6. –
7. -en
8. -en, -en
9. -n, -n
10. –
11. –, -n
12. -e

Übung 17
Engländer, –/Engländerin, -nen
Grieche, -n/Griechin, -nen
Europäer, –/Europäerin, -nen
Türke, -n/Türkin, -nen
Österreicher, –/Österreicherin, -nen
Ire, -n/Irin, -nen
Spanier, –/Spanierin, -nen
Russe, -n/Russin, -nen
Rumäne, -n/Rumänin, -nen
Norweger, –/Norwegerin, -nen
Däne, -n/Dänin, -nen
Schotte, -n/Schottin, -nen
Asiate, -n/Asiatin, -nen
Holländer, –/Holländerin, -nen
Portugiese, -n/Portugiesin, -nen
Amerikaner, –/Amerikanerin, -nen
Pole, -n/Polin, -nen
Finne, -n/Finnin, -nen
Franzose, -n/Französin, -nen
Schweizer, –/Schweizerin, -nen
Italiener, –/Italienerin, -nen

2.2 Artikelwörter

Übung 1

1. -e
2. -en
3. –
4. -e
5. -e
6. -er, -en
7. -en
8. -e
9. -e, -en
10. -en
11. -em, -e
12. -e
13. -e
14. -e
15. –
16. -en

Übung 2

Nomen ist maskulin oder neutrum Singular → ihr/sein/ihr *(Plural)*:
Fußball, Sofa, Taschenmesser, Auto, Computer, Regenschirm, Halstuch, Fernseher, Poster, Haus, Teppich

Nomen ist feminin Singular oder Plural → ihre/seine/ihre *(Plural)*:
Haarbürste, Handtasche, Kassette, Stühle, Katzen, Vasen

Übung 3

1. ihre
2. seinen
3. euer
4. Unser
5. deine
6. ihre
7. Mein
8. Seine
9. eure, unsere
10. meine

Übung 4

freie Übung

Übung 5

1. der
2. einen, –, dem
3. –
4. –, –
5. –
6. –, das
7. –
8. –, ein
9. –
10. –, –, eine, ein

Übung 6

1. –, –, –/ein, –, eine, –, eine, –, –, ein, –, das
2. –, –, einem, die
3. einem, einer/der, –, das
4. –, die/eine
5. ein, –, ein, –

Übung 7

1. Manche
2. jeden
3. Diese
4. den/diesen
5. den/diesen, manche
6. die, die
7. eine, diese, keinen
8. alle, dieser/der
9. Jeder
10. keinen
11. alle/diese/keine
12. Diesen/Den
13. keinen
14. Den/Diesen

2.3 Adjektive

Übung 1
1. Welches Kleid gefällt Ihnen besser, das rote oder das schwarze?
2. Welche Hose gefällt Ihnen besser, die schwarze oder die blaue?
3. Welche Schuhe gefallen Ihnen besser, die braunen oder die weißen?
4. Welcher Pullover gefällt Ihnen besser, der bunte oder der einfarbige?
5. Welches Hemd gefällt Ihnen besser, das karierte oder das gestreifte?
6. Welcher Mantel gefällt Ihnen besser, der dicke oder der dünne?
7. Welche Taschen gefallen Ihnen besser, die großen oder die kleinen?
8. Welche Jacke gefällt Ihnen besser, die blaue oder die grüne?

Übung 2

1.	-e	7.	-en
2.	-e	8.	-e
3.	-e	9.	-en
4.	-e	10.	-e
5.	-en	11.	-en
6.	-en	12.	-en

Übung 3

1.	-er	5.	-e
2.	-e	6.	-es
3.	-es	7.	-es
4.	-e	8.	-e

Übung 4
1. Ich schenke ihm ein interessantes Buch.
2. Ich schenke ihm eine neue Uhr.
3. Ich schenke ihm einen blauen Pullover.
4. Ich schenke ihm ein deutsches Wörterbuch.
5. Ich schenke ihm einen kleinen Hund.
6. Ich schenke ihm eine große Torte.
7. Ich schenke ihm ein buntes Hemd.
8. Ich schenke ihm eine moderne Krawatte.

Übung 5
freie Übung

Übung 6

1.	-e, -en	4.	-en, -en
2.	-en	5.	-en, -en
3.	-es	6.	-en

Übung 7
1. französisches, deutsches
2. laute, klassische
3. neue, guten
4. warmen, neuen
5. guten
6. frisches

Übung 8

Hübsche, junge, blonde Frau sucht einen reichen, schwarzhaarigen Akademiker aus guter Familie mit schnellem Auto und dickem Bankkonto.

Attraktiver, jugendlicher Mann, Anfang 50, sucht liebevolle, sportliche Frau (20–30 Jahre alt), die gut kocht und sehr häuslich ist.

Suche ältere, aktive und interessierte Frauen und Männer für gemeinsame Ausflüge, lange Spaziergänge und gemütliche Abende.

Älteres Ehepaar mit drei großen Hunden sucht für ruhiges, möbliertes Zimmer mit eigenem Bad in schönem Haus eine zuverlässige Mieterin.

Übung 9

Zeilen 1–10: -es, -en, -en, -en, -en, -es, –, -en
Zeilen 11–20: -e, –, -en, -en, -e, -en, –
Zeilen 21–30: -en, -en, -e, –, -e, -es, -en, -e
Zeilen 31–40: -en, -en, -e, -en, -en, -en
Zeilen 41–50: -en, -en, -es, -e, -er, -e
Zeilen 51–60: –, -en, -e, -e
Zeilen 61–70: -e, -e, -e, -en, -e
Zeilen 71–80: -en, -e, -en, -e, -e, -e, -en
Zeilen 81–91: -en, -en, -en, -e, -en, -en, -en, -en, –

Übung 10

Zeilen 1–10: -e, -en, -en, -e, -en, -en, -es, -en, -en
Zeilen 11–20: -e, -es, -en, -en, -es, -en, -en, -en
Zeilen 21–30: -en, -e, -en, -e, -es, -en
Zeilen 31–40: -en, -en, -e, -e, -e, -en
Zeilen 41–53: -en, -e, -e, -e, -e, -en, -e, -e, -en, -en

Übung 11

Zeilen 1–10: -en, -e, -en, -en, -en, -en, -e, -e
Zeilen 11–20: -e, -en, -en, -e, -e, -en, -en, -er, -er, -es
Zeilen 21–30: -en, -en, -en, -en, -e, -er, -en
Zeilen 31–41: -er, -e, -e, -en, -e, -e, -em

Übung 12

Zeilen 1–10: -e, -e, -en, -e, -e, -e, -e
Zeilen 11–20: -en, -en, -en, -es, -en
Zeilen 21–30: -er, -e
Zeilen 31–40: -e, -e, -es, -er, -en, -en
Zeilen 41–48: -e, -e, -e, -er

Übung 13

regelmäßig:
reicher / am reichsten, kleiner / am kleinsten, schneller / am schnellsten, glücklicher / am glücklichsten, schwieriger / am schwierigsten

unregelmäßig:
ärmer / am ärmsten, leichter / am leichtesten, früher / am frühesten, klüger / am klügsten, dunkler / am dunkelsten, teurer / am teuersten, lieber / am liebsten, hübscher / am hübschesten, älter / am ältesten, mehr / am meisten, netter / am nettesten, höher / am höchsten, besser / am besten, lauter / am lautesten, stärker / am stärksten

Übung 14

1. Bitte sprechen Sie lauter!
2. Sei/Seien Sie doch geduldiger!
3. Sei bitte höflicher zur Nachbarin!
4. Geh bitte schneller!
5. Fahr/Fahren Sie bitte langsamer!
6. Helft bitte eurer Mutter!
7. Geh/Gehen Sie doch früher ins Bett!
8. Mach das Radio bitte leiser!

Übung 15

1. … er möchte ein noch größeres Haus.
2. … er möchte eine noch interessantere Arbeit.
3. … er möchte noch mehr Geld.
4. … er möchte eine noch bessere Sekretärin.
5. … er möchte noch wertvollere Möbel.
6. … er möchte noch mehr Kinder.
7. … er möchte einen noch schöneren Garten.
8. … er möchte noch mehr Freizeit.

Übung 16

1. billigeres
2. leichtere
3. dickeren/wärmeren
4. kürzeren
5. interessanteren
6. besseres
7. weicheres/frischeres
8. besseren

Übung 17

1. am schnellsten
2. wichtigste
3. teuersten, elegantesten
4. neuesten, am liebsten
5. reichste
6. jüngste

Übung 18

1. kürzeste
2. besten
3. älteste(n)
4. meisten
5. schwierigste
6. jüngste
7. höchste
8. längste

Übung 19

freie Übung

Übung 20

1. Das Empire State Building ist höher als der Eiffelturm.
2. Ein Elefant ist dicker als eine Giraffe.
3. Die Wohnungen in München sind ungefähr so teuer wie die Wohnungen in Hamburg.
4. Der ICE in Deutschland fährt so schnell wie der TGV in Frankreich.
5. Das Eis in Italien schmeckt besser als das Eis in Deutschland.
6. Eine Katze ist größer als eine Maus.
7. Paris gefällt mir genauso gut wie Rom./Paris gefällt mir besser als Rom./Rom gefällt mir besser als Paris.
8. Eva schwimmt so schnell wie Angela./ Eva schwimmt schneller als Angela.

Übung 21

1. Betrunkene
2. Arbeitslosen
3. Fremde
4. Schlimmste
5. Angestellten
6. Rothaarige
7. Gefangener
8. Schönste
9. Deutschen
10. Anwesenden

Übung 22

Verliebter, Verliebte
Arbeitslose/n, Arbeitslosen
Neugierige, Neugierigen
Intellektuelle/n, Intellektuellen
Verwandte, Verwandte
Blinde/n, Blinde
Anwesender, Anwesende
Böse, Bösen
Bekannter, Bekannte

Übung 23

freie Übung

2.4 Zahlen

Übung 1

1. neununddreißig Euro neunzig
2. neunundneunzig Euro dreißig
3. (ein)hundertneunzehn (Schweizer) Franken
4. sechshundertachtzig Euro
5. drei Euro fünfzehn
6. vier Franken zehn
7. neunundzwanzig Euro achtzig
8. fünf Euro zwanzig
9. vier Franken achtzig
10. neununddreißig Euro zwanzig

Übung 2

1. Es ist dreiundzwanzig Uhr zehn./ Es ist zehn nach elf.
2. Es ist acht Uhr dreißig./Es ist halb neun.
3. Es ist fünfzehn Uhr fünfundvierzig./ Es ist Viertel vor vier.
4. Es ist einundzwanzig Uhr fünf./ Es ist fünf nach neun.
5. Es ist sechs Uhr vierzig./Es ist zwanzig vor sieben.
6. Es ist neun Uhr fünfzehn./Es ist Viertel nach neun.
7. Es ist elf Uhr zwanzig./Es ist zwanzig nach elf.
8. Es ist ein Uhr fünfzehn./Es ist Viertel nach eins.
9. Es ist sieben Uhr fünfundfünfzig./Es ist fünf vor acht.
10. Es ist zweiundzwanzig Uhr zehn./Es ist zehn nach zehn.

Übung 3

1. Am achtundzwanzigsten Achten siebzehnhundertneunundvierzig.
2. Am einundzwanzigsten Dritten sechszehnhundertfünfundachtzig.
3. Am siebzehnten Zwölften siebzehnhundertsiebzig.
4. Am fünften Neunten siebzehnhundertvierundsiebzig.
5. Am ersten Vierten achtzehnhundertfünfzehn.
6. Am sechsten Sechsten achtzehnhundertfünfundsiebzig.
7. Am achten Zweiten achtzehnhundertachtzig.
8. Am zehnten Zweiten achtzehnhundertachtundneunzig.

Übung 4

1. einundzwanzigsten Dritten neunzehnhundertachtundachtzig
2. einunddreißigsten Zwölften
3. dreißigsten Siebten
4. zweiundzwanzigsten Zweiten neunzehnhundertfünfundsechzig
5. neunzehnhundertsechsundneunzig
6. Vierte
7. Zwölften
8. ersten Achten ... vierundzwanzigsten Achten

Übung 5

1. zwei Kilo, ein Pfund
2. zwei Meter, ein Meter zwanzig
3. Montags
4. doppelt
5. vier Mal
6. sechs Prozent
7. minus zehn Grad
8. drei Liter
9. Morgens, nachmittags
10. jahrelang
11. dritter
12. ein Drittel

2.5 Pronomen

Übung 1

1. Er
2. Sie
3. Sie
4. Es
5. ich
6. Wir
7. Du, sie
8. ihr

Übung 2

1. Wo ist denn meine Brille? Ich finde sie nicht.
2. Wo ist denn meine Tasche? Ich finde sie nicht.
3. Wo ist denn mein Geld? Ich finde es nicht.
4. Wo sind denn meine Schuhe? Ich finde sie nicht.
5. Wo ist denn mein Mantel? Ich finde ihn nicht.
6. Wo ist denn mein Kalender? Ich finde ihn nicht.
7. Wo ist denn mein Buch? Ich finde es nicht.
8. Wo sind denn meine Schlüssel? Ich finde sie nicht.
9. Wo ist denn mein Adressbuch? Ich finde es nicht.
10. Wo sind denn meine Hunde? Ich finde sie nicht.
11. Wo ist denn Antonia? Ich finde sie nicht.

Übung 3

1. mir
2. uns
3. euch
4. mir, dir
5. Ihnen
6. ihm
7. ihr
8. dir

Übung 4

1. sie
2. ihn
3. es
4. sie
5. es
6. ihn

Übung 5

Ihnen, Sie, mir, Sie
Sie, Ihnen
Mir, Ich, Sie

Übung 6

Liebe Monika, lieber Heinrich,

wie geht es euch? Wohin seid ihr nach eurem Besuch bei mir noch gefahren? Hattet ihr noch eine schöne Zeit in Portugal?

Ich habe mich sehr gefreut, euch nach so langer Zeit wiederzusehen und ein paar Tage mit euch in unserem Haus am Meer zu verbringen. Es war eine sehr schöne Zeit, und ich denke noch oft daran.

Mir geht es gut. Ich bin nach dem Urlaub wieder nach Lissabon zurückgekehrt und habe leider zur Zeit viel Arbeit. Aber ich hoffe sehr, dass ich bald einmal Zeit habe, euch in Düsseldorf zu besuchen.

Herzliche Grüße

Übung 7

1. einen Badeanzug, diesen, den, den, der
2. einen Sonnenhut, diesen, den, den, der
3. eine Sonnenbrille, diese, die, die, die
4. Sandalen, diese, die, die, die
5. ein T-Shirt, dieses, das, das, das
6. Badehandtücher, diese, die, die, die
7. eine Tasche, diese, die, die, die
8. einen Minirock, diesen, den, den, der

Übung 8

1. diesen Schrank, den, der
2. dieses Bett, das, das
3. dieses Sofa, das, das
4. diese Kommode, die, die
5. diese Wanduhr, die, die
6. diesen Teppich, den, der
7. diesen Tisch, den, der

Übung 9

1. ein Hotel, eins/keins
2. ein Gasthaus, eins/keins
3. einen Bahnhof, einen/keinen
4. eine Bäckerei, eine/keine
5. ein Kino, eins/keins
6. einen Kinderspielplatz, einen/keinen
7. eine Bank, eine/keine
8. eine Kirche, eine/keine
9. einen Strand, einen/keinen
10. einen Arzt, einen/keinen

Übung 10

1. seine
2. meiner
3. unseres
4. seine
5. meine
6. meins
7. meiner
8. ihres

Übung 11

1. einer
2. keins, eins
3. eins, welche
4. einen, einen, welche
5. keine, keine

Übung 12

1. niemand(em)
2. jedem
3. irgendeiner/einer
4. Wer, man
5. Man
6. jemand
7. niemand, irgendeiner
8. jeder, wer
9. jemand
10. einen

Übung 13

1. dieser, meiner, jede, jedes, alle, unserem, Einige
2. Dieser, der, beide, dieser
3. Manche, alle, Diese
4. allen, einige
5. diese, keine, eine, deiner

Übung 14

1. wenig
2. alles
3. viel/alles
4. viele
5. wenig
6. nichts
7. wenig
8. alles
9. viel/alles
10. alles, viel

Übung 15

1. d
2. e
3. a
4. f
5. g
6. c
7. b

Übung 16

1. Wann
2. Warum
3. Wen
4. Wo
5. Wie
6. Welche
7. Wem
8. Wer

Übung 17

1. Was für ein
2. Welches
3. Welche
4. Was für einen

Übung 18

1. Wohin fahren Sie morgen?
2. Um wie viel Uhr/Wann kommen die Gäste?
3. Wo wohnt Ihre/deine Freundin?
4. Was möchten Sie/möchtest du lieber?
5. An wen denken Sie/denkst du noch oft?
6. Wer kommt Sie/euch am Wochenende besuchen?
7. Wen haben Sie/hast du gestern getroffen?
8. Wie heißen Sie/heißt du?
9. Wem haben Sie/habt ihr ein lustiges Buch geschenkt?
10. Wofür/Für wen interessiert sich Ihr/dein Mann gar nicht?

Übung 19

1. Woher kommen Sie?
2. Wo wohnen Sie?
3. Wann sind Sie angekommen?
4. Mit wem/Wem ...?
5. Worauf warten Sie hier?
6. Was ist das?/Wem gehört diese Brieftasche?
7. Wer hat ...?
8. Wo wohnen Sie?/In welchem Hotel wohnen Sie?

Übung 20

1. c
2. e
3. f
4. a
5. b
6. d

Übung 21

1. ... der groß und schlank ist.
2. ... mit dem sie oft tanzen gehen kann.
3. ... den sie bewundern kann.
4. ... dessen Charakter ihr gefällt.
5. ... mit dem sie viel Spaß machen kann.
6. ... der gern Sport macht.

Übung 22

1. den, der, dem
2. die, die, der
3. die, die, denen

Übung 23

1. Das sind Schuhe, die man zum Tennisspielen anzieht.
2. Das ist ein Tier, das im Meer lebt.
3. Das ist eine Zeitung, die einmal pro Woche erscheint.
4. Das ist eine Schule, in der man Sprachen lernt/lernen kann.
5. Das ist ein Haus, in dem die Leute Roulette spielen.
6. Das ist ein Bett, in dem Kinder schlafen.
7. Das ist ein Mensch, der an der Universität studiert.
8. Das ist ein Zimmer, in dem Gäste wohnen.
9. Das sind Schuhe, die man zum Skifahren anzieht.
10. Das ist ein Ofen, mit dem man heizen kann.

Übung 24

1. in die
2. wofür
3. für die/wofür
4. worüber
5. um die
6. an die/woran
7. mit der
8. worüber

Übung 25

1. deren, dessen, dessen
2. dessen, deren
3. deren, dessen, dessen

Übung 26

1. die, deren, in denen, die
2. was, worüber, wofür, was
3. die, in der, wohin/in die, wo/in der
4. was, worüber, wofür, was
5. der, über den, dem *(‚vertrauen‘ + Dativ!)*, der

Übung 27

1. in der
2. was
3. deren
4. was
5. die
6. wo
7. was
8. dessen
9. was
10. auf die
11. woher
12. deren

Übung 28

1. Es
2. –
3. –
4. Es
5. es
6. –
7. Es
8. Es
9. es
10. es
11. es
12. Es

Übung 29

1. Es ist notwendig, dass wir morgen früh aufstehen.
2. Sagen Sie mir, wie es passiert ist.
3. Hast du gehört, ob es geklingelt hat?
4. Es ist schon spät.
5. Dem Kranken geht es zum Glück wieder gut.
6. Er hat es leider immer eilig.
7. Rauchen ist hier verboten./Hier ist Rauchen verboten.
8. Mir gefällt es nicht, wenn du so viel fernsiehst.

3.1 Präpositionen

Wenn bei einem Beispiel mehrere Präpositionen möglich sind, ist die an erster Stelle genannte Lösung meist die gebräuchlichste.

Übung 1

1. zur/in die – aus der
2. ins – aus dem
3. zum – vom
4. ins – aus dem
5. zur/auf die/in die – aus der
6. in den/zum – aus dem
7. an den – vom
8. auf die – von den
9. in die – aus der
10. in die – aus der

Übung 2

1. Sie war in der Bäckerei.
2. Sie war im Büro.
3. Sie war am Kirchplatz.
4. Sie war im Fichtelgebirge.
5. Sie war in/auf der Bank.
6. Sie war im Supermarkt.
7. Sie war am See.
8. Sie war auf den Kanarischen Inseln.
9. Sie war in der Blumenstraße.
10. Sie war in der Oper.

Übung 3

1. ins, an den/einen
2. Im, am
3. In der/Auf der
4. auf die, ins
5. in den, im, im, in der

Übung 4

1. in die
2. nach
3. in die
4. nach
5. nach
6. in die
7. nach
8. in die

Übung 5

1. aus dem
2. Von
3. Vom
4. aus dem

Übung 6

1. zur/in die Metzgerei
2. ins Kino
3. zur/in die Apotheke
4. ins/zum Reisebüro
5. zum Flughafen
6. ins Restaurant
7. in die Buchhandlung
8. zur/auf die Bank

Übung 7

1. Er war in der Metzgerei.
2. Er war im Kino.
3. Er war in der Apotheke.
4. Er war im Reisebüro.
5. Er war am Flughafen.
6. Er war im Restaurant.
7. Er war in der Buchhandlung.
8. Er war in der/auf der Bank.

Übung 8
1. bei
2. Zur
3. bei
4. zum

Übung 9
1. zu, in die, in, in der, an, in den
2. auf dem, im, im, im, an der, bei, in der, in, am, im, am

Übung 10
1. Tragen Sie bitte das Bier in den Keller.
2. Er hängt den Mantel an die Garderobe.
3. Die Weingläser stehen im Schrank.
4. Der Atlas liegt auf der Kommode.
5. Warum hängst du die Lampe über den Fernseher?
6. Er legt immer die Zeitung unter das Sofa.
7. Dein Fahrrad steht vor der Haustür.
8. Er räumt nie das Geschirr in die Spülmaschine.

Übung 11
1. ... mein Sweatshirt? – Ich habe es auf dein Bett gelegt. – Es liegt aber nicht mehr auf dem Bett! – ..., wo es ist.
2. ... meine Jacke? – Ich habe sie an die Garderobe gehängt. – Sie hängt aber nicht mehr an der Garderobe! – ..., wo sie ist.
3. ... mein Fußball? – Ich habe ihn in den Keller gelegt. – Er ist /liegt aber nicht mehr im Keller! – ..., wo er ist.
4. ... meine Schere? – Ich habe sie in die Schublade gelegt. – Sie liegt aber nicht mehr in der Schublade! – ..., wo sie ist.
5. ... meine Schlüssel? – Ich habe sie ans Schlüsselbrett gehängt. – Sie hängen aber nicht mehr am Schlüsselbrett! – ..., wo sie sind.
6. ... meine Schuhe? – Ich habe sie unter die Bank gestellt. – Sie stehen aber nicht mehr unter der Bank! – ..., wo sie sind.
7. ... meine Tasche? – Ich habe sie zwischen das Regal und den Schrank gestellt! – Sie ist/steht aber nicht mehr zwischen dem Regal und dem Schrank! – ..., wo sie ist.
8. ... meine Taschenlampe? – Ich habe sie neben das Lexikon gelegt. – Sie liegt aber nicht mehr neben dem Lexikon! – ..., wo sie ist.

Übung 12
freie Übung

Übung 13
freie Übung

Übung 14
1. Auf diesem
2. Auf dem / Im
3. Im
4. Um den
5. Am
6. In der, neben der/hinter der/von der, Neben dem/Hinter dem
7. Außerhalb/Innerhalb
8. Um den ... herum
9. Auf dieser, gegen
10. hinter dem/neben dem, Auf dem

Übung 15
1. In einem Hotel auf Kreta.
2. In einer Pension in Berlin.
3. Bei Freunden in Japan.
4. Auf einem Schiff im Mittelmeer.
5. In einer Stadt am Rhein.
6. Auf einer Insel im Indischen Ozean.
7. In einem Bungalow an der Südküste von Spanien.
8. In einem Haus in den Alpen.

Übung 16
1. zu
2. in der/auf der
3. in, am
4. in den/auf den
5. am
6. nach
7. in
8. in den, auf
9. In
10. bei
11. Ans, in die
12. zu, um das, auf die

Übung 17
in der, im, In, Im, neben, aus, im, gegenüber, zu, in
um die, am, im, entlang nach, an die, hinter
nach, über, zwischen, nach
an der, in die

Übung 18
1. seit
2. vor, in
3. Seit, seit
4. –
5. in
6. –, vor
7. Seit, im
8. seit, in

Übung 19
1. in
2. an
3. im
4. im
5. am
6. in der
7. am
8. am

Übung 20
1. nach
2. In
3. In
4. Nach
5. nach
6. nach

Übung 21
1. um
2. gegen
3. um
4. gegen
5. gegen
6. um

Übung 22
2. gegen
3. Um, vor, nach, seit
4. in, um/gegen
5. zwischen, Bis

Übung 23
1. Seit
2. In
3. Zwischen
4. Beim
5. Von nächster Woche an
6. Zwei Wochen lang.

Übung 24
1. am, Am, seit, am, nach, Am
2. in, Von, bis, Am, am
3. in, am, bis, um, seit
4. bis, gegen

Übung 25

1. Bei
2. in/innerhalb von
3. von, bis
4. vor, bis
5. –
6. –
7. vor
8. während
9. bis
10. über
11. Seit
12. nach

Übung 26

1. ohne
2. aus
3. nach
4. auf
5. mit
6. in
7. nach
8. zum
9. mit
10. Ohne
11. auf
12. mit
13. Im
14. Zum

Übung 27

1. Wegen
2. Aus
3. Bei
4. wegen
5. vor
6. aus
7. Wegen
8. Bei
9. vor
10. Wegen

3.2 Adverbien

Übung 1
1. rauf
2. rein, dorthin
3. raus
4. her
5. rüber
6. rauf, runter
7. raus, rein
8. her
9. (hier)her
10. rauf

Übung 2
1. hinein (rein)
2. nirgendwo/nirgends
3. da/dort
4. rechts
5. von hinten
6. nach drinnen
7. irgendwohin
8. hinauf (rauf)
9. aufwärts
10. vorwärts

Übung 3
1. nach oben
2. überallhin
3. hinaus
4. von ... oben
5. unten
6. nach vorn
7. fort
8. hierher

Übung 4
1. sofort/gleich
2. jetzt/nun/gleich
3. vorhin
4. früher/damals
5. vorher, nachher
6. Bisher
7. später/nachher
8. gerade

Übung 5
freie Übung

Übung 6
1. sehr
2. wenigstens
3. genauso
4. umsonst
5. bestimmt
6. kaum
7. irgendwie
8. fast, sehr, höchstens
9. fast
10. ziemlich

Übung 7
1. Trotzdem/Dennoch
2. Deshalb/Deswegen/Daher/Darum
3. also
4. deshalb/deswegen/daher/darum
5. also/deshalb/deswegen/daher/darum
6. Trotzdem/Dennoch

4.2 Verb an zweiter Position

Übung 1
1. Gestern bin ich um 8 Uhr aufgestanden.
2. Wir würden gern eine neue Wohnung mieten.
3. Er kommt immer zu spät.
4. Sie wurde gestern noch einmal operiert.
5. Morgen früh fahre ich wieder weg.
6. Dieses Jahr möchte unser Sohn nicht mit uns in Urlaub fahren.
7. Wir wären gern noch ein bisschen länger geblieben.
8. Nächste Woche besuche ich dich sicher.

Übung 2
1. Die Wälder wurden in den letzten Jahren durch sauren Regen sehr geschädigt./In den letzten Jahren wurden die Wälder durch sauren Regen sehr geschädigt./Durch sauren Regen wurden die Wälder in den letzten Jahren sehr geschädigt.
2. Er schenkte ihr einen großen Blumenstrauß zum Geburtstag./ Zum Geburtstag schenkte er ihr einen großen Blumenstrauß.
3. Sie gab ihm zum Abschied einen Kuss./Zum Abschied gab sie ihm einen Kuss.
4. Wir haben unsere Wohnung gekündigt.
5. Ich mache ab morgen eine Diät./ Ab morgen mache ich eine Diät.
6. Er hat den ganzen Morgen Zeitung gelesen./Den ganzen Morgen hat er Zeitung gelesen.
7. Das Hotel hat uns sehr gut gefallen.
8. Die Geschäfte schließen in Deutschland um 20.00 Uhr./In Deutschland schließen die Geschäfte um 20.00 Uhr./Um 20.00 Uhr schließen in Deutschland die Geschäfte.

Übung 3
1. Gestern hat er uns diese Geschichte doch ganz anders erzählt.
2. Zufällig habe ich heute meinen Lehrer auf der Straße getroffen.
3. In Paris würde ich sehr gern mal arbeiten.
4. Seit drei Monaten habe ich ihn leider nicht mehr gesehen.
5. Zum Geburtstag hat er mir einen sehr schönen Ring geschenkt.
6. In der Nacht hat es mindestens vier Stunden lang geregnet.
7. Leider hat sie mir mein Buch noch nicht zurückgegeben.
8. Zum Abschied haben wir für ihn eine Party organisiert.

Übung 4
1. Ja, er hat es uns auch empfohlen.
2. Ja, ich habe sie ihnen schon zugeschickt.
3. Ja, er hat ihn ihnen weggenommen.

4. Ja, ich habe ihn ihnen schon angeboten.
5. Ja, er hat es ihnen schon vorgestellt.
6. Ja, ich habe ihn ihm schon gebracht.
7. Ja, ich habe es ihm schon gezeigt.
8. Ja, ich habe ihn ihnen schon erklärt.

Übung 5

1. Wir möchten Sie gern am Samstagabend mit Ihrer Frau zum Essen einladen.
2. Wir gehen heute Nachmittag mit den Kindern ins Schwimmbad.
3. Wir waren letzten Sommer mit dem Wohnmobil in den USA in Urlaub.
4. Ich würde gern abends mit dir am Fluss spazierengehen.
5. Sie geht jeden Abend mit ihrem neuen Freund in dieselbe Disco zum Tanzen.
6. Ich fahre nächsten Sonntag wegen der Hochzeit meines Bruders nach Berlin.
7. Ich räume heute Abend ganz bestimmt die Küche auf.
8. Er hat sich letzte Woche beim Skifahren in der Schweiz erkältet.

Übung 6

1. Darüber möchten wir lieber nicht mehr sprechen.
2. Mit ihm will ich nichts mehr zu tun haben.
3. Mir hat natürlich wieder keiner was gesagt!
4. Davon weiß ich leider nichts.
5. Auf mich kannst du dich ganz bestimmt verlassen.
6. Das hat mir niemand gesagt.
7. Glücklicherweise ist ihm bei dem Unfall nichts passiert.
8. Dorthin möchte ich auch gern einmal fahren.

Übung 7

1. Ich fahre heute mit dem Zug nach Hause.
2. Ich habe mich beim Chef schon entschuldigt.
3. Er musste gestern vor dem Theater lange auf mich warten.
4. Ich kann dich gern nach Hause fahren.
5. Er hat ihr das Buch schon gebracht.
6. Ich habe mir wegen der Kälte einen warmen Anorak gekauft.
7. Sie hat mir nichts gesagt.
8. Wir sind am Sonntag zum Wandern in die Berge gefahren.

Übung 8

1. Das ist nicht sehr teuer.
2. Seine Bilder haben mir nicht gut gefallen.
3. Ihre Mutter wird nicht operiert.
4. Er hat sich nicht an mich erinnert.
5. Ich habe das nicht gewusst.
6. Ich kann nicht Tennis spielen.
7. Ich bleibe nicht hier.
8. Du sollst das nicht machen.

Übung 9

1. keine
2. nicht
3. keinen
4. kein
5. keine
6. nicht
7. keinen, nicht
8. keine
9. nicht
10. keinen

Übung 10

1. Sie sind nicht immer pünktlich.
2. Ich kenne sie nicht.
3. Wir gehen nicht heute ins Konzert, sondern morgen.
4. Nicht alle lieben diese Sängerin.
5. Er kann nicht Ski fahren.
6. Ich gehe nicht mit jedem aus.
7. Ich weiß es nicht.
8. Das versteht nicht jeder.

Übung 11

1. denn
2. aber, denn
3. sowohl, als auch
4. sondern
5. zwar, aber
6. Entweder, und, oder
7. Weder noch
8. oder, und

Übung 12

freie Übung

Übung 13

1. Früher lebten wir am Land in Oberbayern, jetzt sind wir nach Berlin umgezogen.
2. Meine Kindheit habe ich in Bayern verbracht. Deshalb liebe ich die Berge.
3. Das Leben in einer Großstadt wie Berlin hat für mich eine große Umstellung bedeutet. Trotzdem habe ich mich schnell daran gewöhnt.
4. Hier verwenden die Leute zum Beispiel das Wort „Semmel" nicht. Sie sagen „Schrippen".
5. Neulich hat mir jemand gesagt, als ich ihn mit „Grüß Gott" begrüßt habe: „Du kommst wohl aus Bayern!", denn hier sagt man „Guten Tag".
6. Also sage ich jetzt auch immer „Guten Tag", wenn ich jemanden grüße.

4.4 Verb am Satzende

Übung 1

1. c
2. g
3. e
4. b
5. f
6. a
7. d

Übung 2

1. Als ich so alt war wie du, hatte ich noch kein Fahrrad.
2. Bevor meine Eltern kommen, muss ich noch schnell die Wohnung aufräumen.
3. Während ich das Bad putze, könntest du doch schon mit dem Geschirrspülen anfangen.
4. Seitdem sie angerufen haben, bist du schrecklich nervös.
5. Nachdem sie angerufen hatten, habe ich mir erst einmal ein Glas Wein geholt.
6. Bis ihr Anruf am Samstagabend kam, habe ich nie geglaubt, dass sie mich wirklich besuchen wollen.
7. Als ich in London gelebt habe, haben sie mich nie besucht.
8. Wenn wir in Paris waren, haben wir immer im selben Hotel gewohnt.

Übung 3

1. Als
2. Wenn, wenn
3. als
4. als
5. Wenn, wenn
6. als

Übung 4

1. Als ich ein Kind war, wollte ich Lokomotivführer werden.
2. Als ich noch kein Auto hatte, ging ich viel zu Fuß.
3. Immer/Jedesmal wenn ich krank war, las mir Mutter viele Bücher vor./ Als ich krank war, las mir Mutter viele Bücher vor.
4. Immer/Jedesmal wenn ich im Krankenhaus lag, spielte ich viel mit den anderen Kindern./Als ich im Krankenhaus lag, spielte ich viel mit den anderen Kindern.
5. Immer/Jedesmal wenn Großmutter zu Besuch kam, brachte sie mir Schokolade mit./Als Großmutter zu Besuch kam, brachte sie mir Schokolade mit.
6. Als ich zur Schule ging, wollte ich nie Hausaufgaben machen.
7. Immer/Jedesmal wenn wir in Urlaub waren, spielte Vater viel mit mir./Als wir in Urlaub waren, spielte Vater viel mit mir.
8. Immer/Jedesmal wenn ich in Italien war, aß ich viel Eis./Als ich in Italien war, aß ich viel Eis.

Übung 5

freie Übung

Übung 6

freie Übung

Übung 7
1. Während ich die Koffer packe, könntest du schon auf der Bank Geld wechseln.
2. Während ich tanke, könntest du schon die Autofenster waschen.
3. Während ich das Reiseproviant vorbereite, könntest du schon die Küche aufräumen.
4. Während ich ein Hotel suche, könntest du auf das Gepäck aufpassen.
5. Während ich dusche, könntest du schon die Koffer ausräumen.
6. Während ich einen Parkplatz suche, könntest du schon ins Restaurant gehen.

Übung 8
1. Während der Vater fernsieht, spielen die Kinder.
2. Während die Frau im Sessel sitzt und Zeitung liest, spült der Mann das Geschirr.
3. Während die Frau einen Brief schreibt, liest der Mann ein Buch.
4. Während der Mann isst, trinkt die Frau nur ein Glas Wasser.

Übung 9
1. Bis ich gut Deutsch kann, muss ich noch viel lernen.
2. Seitdem ich in Deutschland lebe, besuche ich eine Sprachschule.
3. Bis ich mit der Arbeit beginne, muss ich noch Deutsch lernen.
4. Seitdem wir einen neuen Lehrer haben, verstehe ich gar nichts mehr.
5. Seitdem ich mit diesem Buch lerne, verstehe ich die Grammatik besser.
6. Bis ich gut Deutsch kann, werde ich verrückt.
7. Seitdem ich eine neue Wohnung habe, bin ich glücklicher.
8. Seitdem ich sie kenne, ist das Leben viel schöner.

Übung 10
freie Übung

Übung 11
1. nachdem
2. als
3. nachdem
4. als
5. nachdem
6. Als

Übung 12
freie Übung

Übung 13
1. Am glücklichsten war ich, als ich noch ein Kind war.
2. Ja also, nachdem ich das Abitur gemacht hatte, musste ich zum Militär.
3. Als ich 26 Jahre alt war.
4. Ja wissen Sie, bevor ich mit dem Musikstudium begann, wollte ich Arzt werden.
5. Seit ich zur Schule ging.
6. Nachdem ich aus den USA zurückgekehrt war, besuchte ich einen alten Schulfreund. Sie ist seine jüngere Schwester.
7. Oh ja, jedesmal wenn ich auf die Bühne ging, war ich schrecklich nervös.
8. Nachdem ich den zweiten Herzinfarkt hatte.

Übung 14
freie Übung

Übung 15
freie Übung

Übung 16
Während, nachdem, Als, Sobald, bevor, wenn, bis, Seitdem, Als

Übung 17
1. Ich gehe jetzt nach Hause, weil ich müde bin.
2. Der Film hat mir nicht gefallen, weil er so brutal war.
3. In dieses Restaurant gehe ich nicht mehr, weil es zu teuer ist.
4. Nein danke, ich trinke keinen Wein mehr, weil ich noch Auto fahren muss.
5. Ich gehe jetzt ins Bett, weil ich morgen früh aufstehen muss.
6. Wir essen kein Fleisch, weil es uns nicht schmeckt.

Übung 18
1. Frau Bauer ist unglücklich, weil ihre Katze weggelaufen ist.
2. Toni freut sich, weil er die Prüfung bestanden hat.
3. Sie kauft im Supermarkt ein, weil dort alles am billigsten ist.
4. Anna geht ins Bett, weil sie müde ist.
5. Ich bin am Wochenende nicht mitgekommen, weil ich krank war.
6. Wir nehmen zum Kochen nur Olivenöl, weil es am besten ist.

Übung 19
freie Übung

Übung 20
freie Übung

Übung 21
freie Übung

Übung 22
1. Wenn Sie jetzt spazieren gehen, sollten Sie einen Regenschirm mitnehmen.
2. Wenn Hans sich schon wieder einen Ferrari kauft, hat er aber sehr viel Geld.
3. Wenn ihr schon wieder streitet, geht ihr sofort ins Bett.
4. Wenn du noch Geld brauchst, ruf mich einfach an.
5. Wenn Sie noch etwas Zeit haben, schreiben Sie bitte noch schnell diesen Brief.
6. Wenn Sie immer noch Schmerzen haben, nehmen Sie eine Tablette mehr pro Tag.

Übung 23
1. Ja gern, wenn ich mit der Hausaufgabe fertig bin.
2. Ja, wenn wir genug Geld haben. / Ja, wenn ich genug Geld habe.
3. Ja, wenn es nicht so fett ist.
4. Ja, wenn ich keine andere Arbeit finde.
5. Ja, wenn du nicht zu spät nach Hause kommst.
6. Ja, wenn wir noch Karten bekommen.
7. Ja, besonders wenn ich in der Badewanne liege.

Übung 24
freie Übung

Übung 25
freie Übung

Übung 26

1. d
2. f
3. e
4. a
5. c
6. b

Übung 27

1. Obwohl es schon dunkel ist, geht Frau Mutig allein in den Wald.
2. Obwohl sein altes Fahrrad noch in Ordnung ist, kauft er sich ein neues.
3. Obwohl sie krank ist, geht sie nicht zum Arzt.
4. Obwohl es so gesund ist, isst sie nie Obst.
5. Obwohl sie fünf Kinder haben, haben sie nur eine kleine Wohnung.
6. Obwohl er lieber ins Kino gehen würde, geht er mit seiner Frau ins Theater.

Übung 28
freie Übung

Übung 29
freie Übung

Übung 30

1. Ich lerne Deutsch, um in Deutschland studieren zu können.
2. ... um mein Auto zu reparieren.
3. ... um damit zu spielen.
4. ... um meine Freundin zu besuchen.
5. ... um dich zu ärgern.
6. ... um die Grammatik zu üben.

Übung 31

1. Er spart sein Taschengeld, um sich ein Videospiel zu kaufen.
2. Die Firma vergrößert ihren Werbeetat, um den Verkauf ihrer Produkte zu erhöhen.
3. Die Banken erhöhen die Zinsen, damit die Bürger mehr sparen.
4. Die Regierung beschließt, die Staatsschulden zu verringern, um die Inflation zu bekämpfen.
5. Die Eltern bauen ihr Haus um, damit ihr Sohn darin eine eigene Wohnung hat.
6. Er geht ganz leise ins Schlafzimmer, damit seine Frau nicht aufwacht.
7. Ich habe in mein Auto einen Katalysator einbauen lassen, um mit bleifreiem Benzin fahren zu können.
8. Er lernt eine Fremdsprache, um eine bessere Arbeit zu finden.

Übung 32
freie Übung

Übung 33
freie Übung

Übung 34

1. Die Kinder waren so aufgeregt, dass sie gar nicht mehr ruhig sitzen konnten.
2. Die Kinder haben gebastelt, so dass sie für jeden in der Familie ein kleines Geschenk hatten.
3. Die Kinder haben ihrer Mutter beim Backen geholfen, so dass sie schon die Plätzchen probieren konnten.

4. Der Vater hatte vorher so viel gearbeitet, dass er nach Weihnachten ein paar Tage freinehmen konnte./ Der Vater hatte vorher viel gearbeitet, so dass er nach Weihnachten ein paar Tage freinehmen konnte.
5. Die Großmutter kam zu Besuch, so dass sie die Feiertage nicht allein verbringen musste.
6. Der Weihnachtsbaum war so groß, dass sie zum Schmücken eine Leiter brauchten.

Übung 35

1. Er fuhr weg, ohne sich zu verabschieden.
2. Er kam später, ohne vorher anzurufen.
3. Er tat jemandem weh, ohne sich zu entschuldigen.
4. Er hörte laute Musik, ohne an die Nachbarn zu denken.
5. Er beleidigte jemanden, ohne es zu merken.
6. Er nahm mein Fahrrad, ohne mich vorher zu fragen.
7. Er ging vorbei, ohne zu grüßen.
8. Er ging aus dem Haus, ohne die Schlüssel mitzunehmen.

Übung 36

1. Das Ergebnis der Verhandlung war besser, als wir erwartet hatten.
2. Am Oktoberfest wurde so viel getrunken wie im vergangenen Jahr.
3. Dieser Computer ist nicht so gut, wie im Allgemeinen angenommen wird.
4. Er kocht besser, als ich gedacht habe.
5. Wir mussten für die Reise weniger zahlen, als im Prospekt stand.
6. Sie schwimmt schneller, als ihre Konkurrenten befürchtet haben.

Übung 37

freie Übung

Übung 38

1. Je länger ich in England lebe, desto/umso besser spreche ich Englisch.
2. Je mehr Sport ich mache, eine desto/umso bessere Figur bekomme ich.
3. Je weniger ich esse, desto/umso schlechter bin ich gelaunt.
4. Je berühmter ein Künstler wird, desto/umso mehr verdient er.
5. Je netter ein Chef ist, desto/umso lieber arbeite ich.
6. Je älter ich werde, desto/umso toleranter werde ich.
7. Je stärker der Kaffee ist, desto/umso schlechter schlafe ich.
8. Je schöner das Wetter ist, desto/umso häufiger gehe ich spazieren.

Übung 39

freie Übung

Übung 40

1. Kannst du mir bitte ein bisschen helfen, anstatt den ganzen Tag zum Fenster hinauszuschauen?
2. … anstatt mit dem Hund zu spielen?
3. … anstatt so lange zu telefonieren?
4. … anstatt die schöne Frau zu beobachten?
5. … anstatt Musik zu hören?
6. … anstatt eine halbe Stunde zu duschen?

Übung 41

freie Übung

Übung 42

1. Als
2. Obwohl, da/weil
3. Bevor, wie
4. Während
5. Nachdem, so dass
6. als, dass
7. so dass
8. da/weil
9. Als
10. Nachdem
11. als
12. ohne

Übung 43

freie Übung

Übung 44

1. als
2. um
3. nachdem/sobald
4. ohne
5. wenn
6. damit
7. weil
8. obwohl
9. während/als/(immer) wenn
10. wenn

Übung 45

freie Übung

Übung 46

freie Übung

Übung 47

1. WEIL
2. WENN
3. WAEHREND
4. OBWOHL
5. BIS
6. NACHDEM
7. OHNE

Lösungswort: ENDLICH